盲導犬クイールの一生

写真◎秋元良平
文◎石黒謙吾

文藝春秋

目次

装丁・本文デザイン　関口聖司

プロローグ

一九九七年三月十三日、三重県名張《なばり》市では親子で福祉活動にふれるイベントが開かれ、会場となった〈つつじが丘小学校〉には、約三百人の家族連れが集まっていた。その会場で、車椅子で段差を越える体験をしたり、手話の実演を見る子どもたちの人気をひときわ集めていたのが、関西盲導犬協会からやってきた一頭のラブラドール・レトリーバーだった。真っ黒か、そうでなければ〝イエロー〟と呼ばれる薄い茶色で、模様はないはずのこの犬種には珍しく、わき腹のあたりに十字形の黒い毛が混じっている。もうすぐ十一歳になるオスの盲導犬、クイール号だった。

「すご～い。頭いい～」

目隠しをした参加者を、注意ぶかく誘導するように寄り添って歩くクイール。会場のあちこちで見守っていた子どもたちから歓声や驚きの声があがった。

クイールは七歳のときに盲導犬としての役割を離れ、そのあとはデモンストレーション犬として福祉関係のイベントなどに参加していたのである。犬の七歳といえば、人間なら四十四歳。まさに働きざかりだ。盲導犬が引退するのはふつう八歳~十二歳であり、七歳という若さで現役を離れるのは珍しい。けれどもクイールは四年前に盲導犬使用者（=目の見えない人）のもとを離れて以来、関西盲導犬協会で暮らすようになっていたのだった。

もちろん、それにはわけがある。

クイール誕生

今から十五年前（八六年）、六月二十五日の明け方、東京都杉並区にある水戸レンさんの家の一室で、六歳のラブラドール・レトリーバーが五匹の仔犬を産んだ。母犬の名はツキスミ。

陣痛《じんつう》が始まったのは深夜の一時。かかりつけの動物病院は遠く、夜中なので往診を頼むわけにもいかない。水戸さんが自分で仔犬を取りあげるしかなかった。しかし、ツキスミの陣痛は弱く、かなりの難産で、二時に最初の一匹が生まれ、二匹目は三時、そして一時間ごとに一匹ずつ、午前六時にようやく五匹目が生まれた。

誕生したばかりの仔犬はどれも、羊水《ようすい》で全身をぬらしている。自分の手のひらほどの小さな生命と母親をつなぐへその緒を、お医者さんに聞いていたとおりに結んでから切り、柔らかいタオルで全身をきれいにした。このとき、水戸さんは一匹の仔犬のわき腹に、黒いシミのような模様を見つける。最初はまだ胎盤《たいばん》の汚れがついているのかと思った。しかし、拭きとっても落ちない。それは汚れでもシミでもなく、不思議なことに黒い毛だった。ラブラドールの毛の色は真っ黒かイエローの単

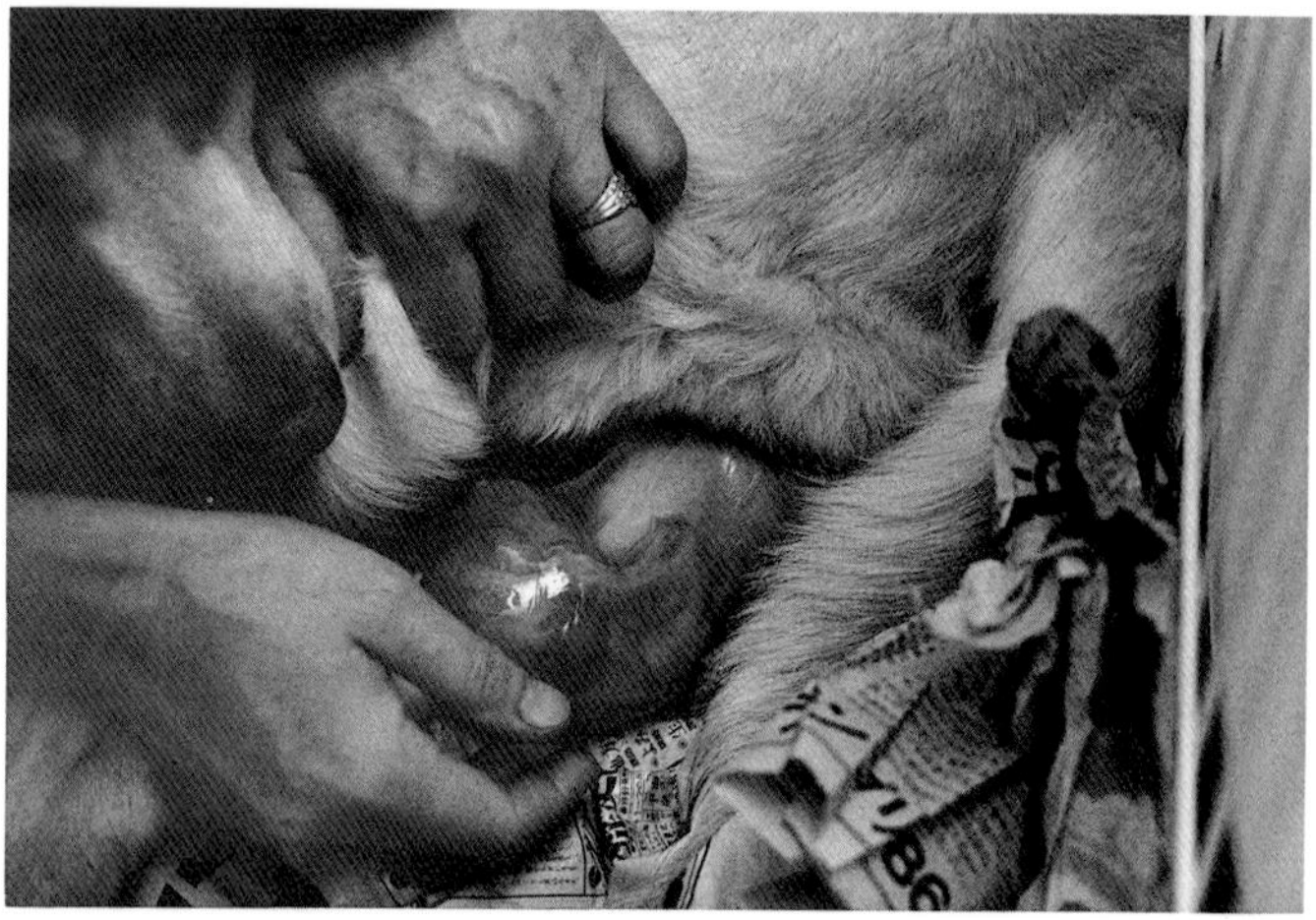

色でブチは生まれてこないはずなのに、このオスの仔犬には黒い模様がついていたのだ。その模様はカモメが羽をひろげて飛んでいるようにも見えたので、すぐに名前は「ジョナサン」と決まった。ベストセラーになった小説『かもめのジョナサン』のジョナサン。のちのクイールである。

五匹目を取りあげ、これですべて産みおえたと思ったのだが、どうもツキスミの様子がおかしく、グッタリとしている。病院の開く時間になるとすぐ、水戸さんは息子さんの運転する車で連れていった。そこで手術を受け、すでに妊娠初期に亡くなっていた二匹の胎児を取りだした。

五匹の仔犬が生まれて一気ににぎやかになった家で、水戸さんの生活は仔犬たちの世話が中心となっていく。高校を出たばかりの息子さんが手伝ってくれるものの、生後二週間目から離乳食に切り替わると、まさに目のまわるような忙しさだった。

水戸さんはリビングルームで犬たちといっしょに眠った。朝は決まって五時ごろにお腹のすいた仔犬たちにたたき起こされ、朝ごはんが終わると五匹はにぎやかに駆けまわる。午後になると、それぞれがお気に入りの場所で昼寝をし、二時間もするると、まるでスイッチが入ったように起きだして元気に走りまわった。

「この時期の食事は鶏肉が中心です。肉屋さんには毎日のように通いました。買ってきたモモ肉を自分で挽《ひ》いて、小指の先くらいの大きさに丸める。それを私の指先にのせて食べさせるの。手間はかかるけど、ぜんぜん苦じゃなかった。そんなことを感じさせないほど仔犬って可愛いもの」

「仔犬が」と言っただけで、当時を思いだすのか、水戸さんの顔はほころぶ。

外出から戻ると、五匹の仔犬たちが争うようにして足もとに駆け寄ってくる。しゃがみ込んで抱きあげると、顔をペロペロ舐《な》めまわし、仔犬たちは水戸さんが帰宅した喜びをどう表現していいのかわからないといった調子で、いつまでも身体を揺らしながら尻尾を振りつづけ、水戸さんのまわりで飛び跳ねた。

「あ〜、よしよし」

「はいはい」

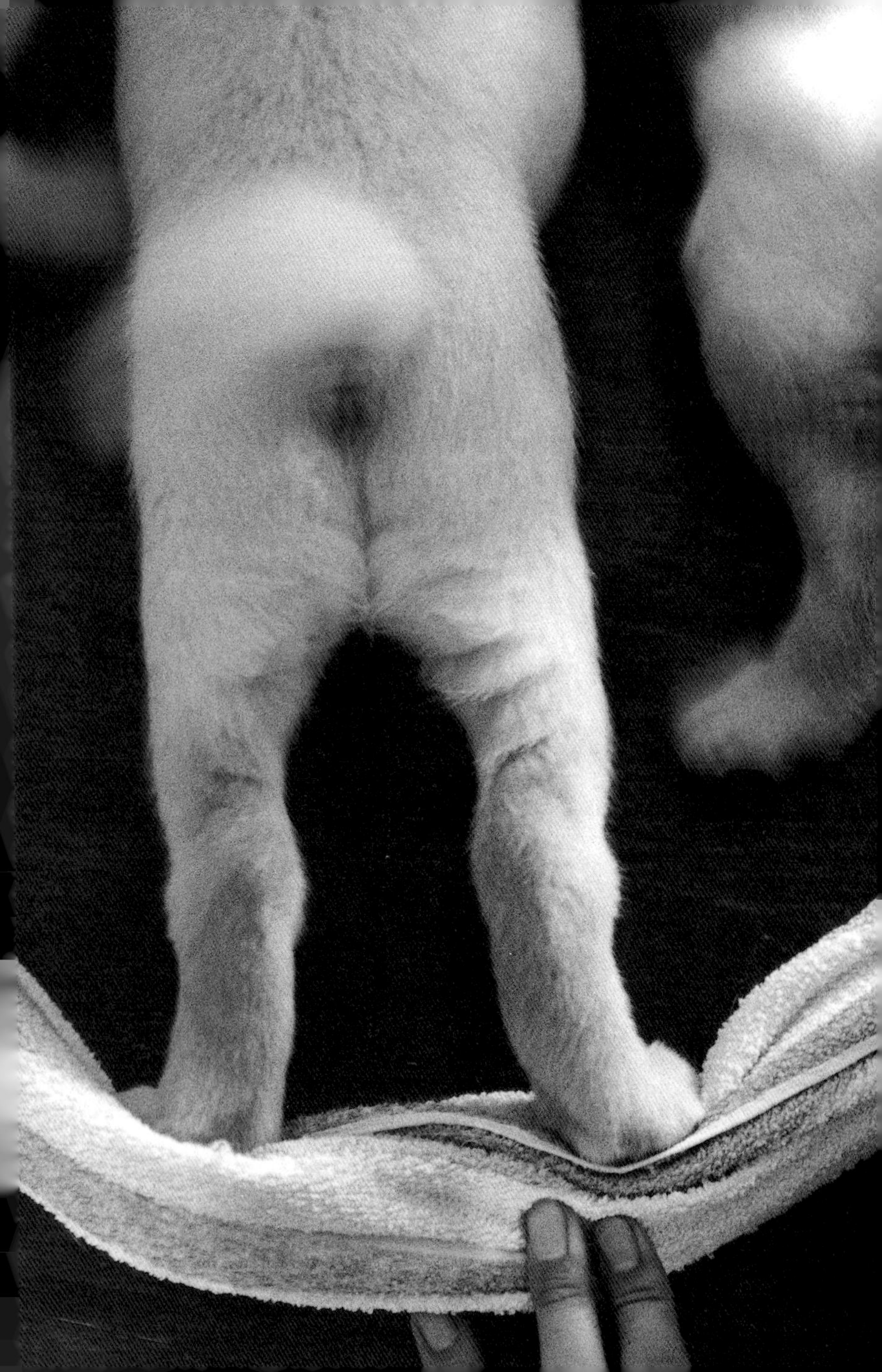

水戸さんは、いつも決まってそう言いながら五匹の歓待《かんたい》にこたえたものだった。外出から戻るたびに繰り返されるその光景。けれども、何度同じことを繰り返しても飽きるということは決してない。仔犬たちは、それほど可愛かった。

仔犬たちそれぞれの個性がはっきりと表われてきたのも、ちょうどこのころだ。いちばん身体が大きくてやんちゃなのが「スバル」。やはり大きくてゴツイが、ちょっと動きのにぶい「北斗《ほくと》」。唯一のメス犬「パトラッシュ」は小柄できれいな毛並みをしているが、お転婆むすめ。そして、いちばんおとなしく、ごはんをあげるときも何となくワンテンポ遅れてくるのがジョナサンである。五匹のなかで最後に生まれた「アンディ」は、見た目、性格ともジョナサンにそっくりの落ちついた犬だった。

特にジョナサンには、がむしゃらな面がまるでなかった。きょうだいを押しのけて自分が、ということは絶対になかったし、とにかく何事もマイペース。お気に入りの場所はソファーの下。狭いところにもぐり込んで眠るのが好きだった。

水戸さんは、この五匹のうち一匹でも盲導犬になれないだろうかと考えていた。自分の家でラブラドール・レトリーバーを飼い、盲導犬を供出《きょうしゅつ》する〈生ませの親〉になるのが数年来の念願だったのだ。その夢を実現させるため、つてを頼って京都市に住む盲導犬訓練士、多和田悟《たわださとる》さんに盲導犬の繁殖犬マックとの交配を頼んだ。つまり、ジョナサンたち五匹には、父親マックの盲導犬の血が流れていたのである。

とはいえ、盲導犬になるのは、そう簡単な話ではない。原則的には「盲導犬に適している血統を持つ親犬どうしを使って計画的な繁殖をおこなう」もので、水戸家の子犬たちも父親に関しては合格である。しかし、母親のツキスミがふつうの家庭犬であることがひっかかる。両親とも盲導犬の血統をひいている仔犬に比べると、優秀な盲導犬として育つ確率は低いからだ。

「生まれた五匹のうち、一匹でも盲導犬として育ててもらえないでしょうか……」

水戸さんは、交配をお願いした盲導犬訓練士、多和田さんに打診してみた。けれども当時、多和田さんは盲導犬の育成にたいへん忙しい日々を送っていた。盲導犬

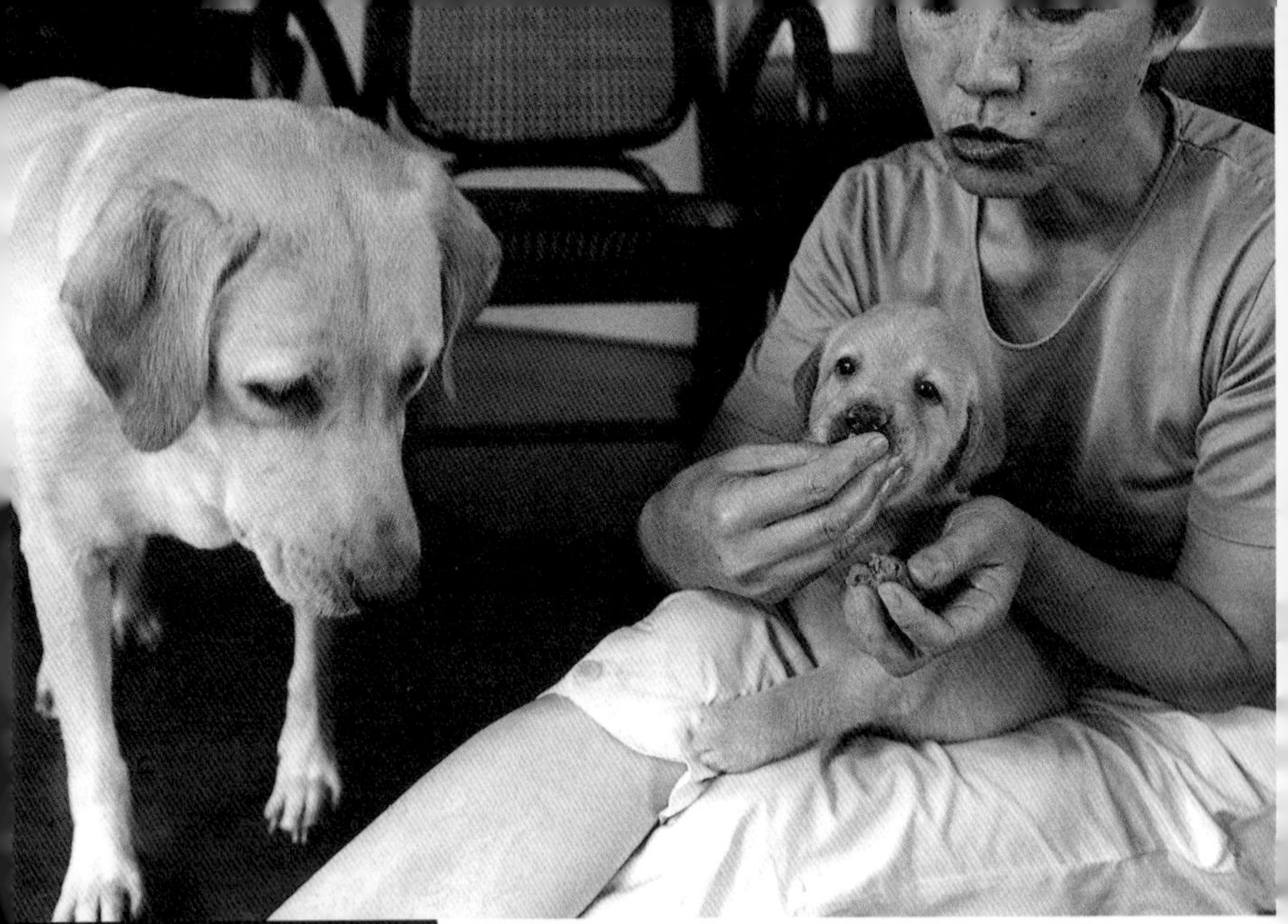

の数は、必要とする使用者の数にはるかにおよばず、一頭でも多くの盲導犬を育てなければならなかったのだ。

適性を判断する唯一の材料が〝血統〟であり、それでもすべてが盲導犬になれるわけではないのを考えると、訓練の成果に確信が持てない犬を盲導犬候補として預かるのは、勇気のいる決断だったはずである。

しかし、水戸さんの熱心な申し入れに多和田さんは了承する。

「いいですよ、一匹くらい」

そう言われて、水戸さんは悩んでしまった。いったい五匹のうちのどの仔犬に盲導犬としての適性があるのか……。まったく判断がつかなかった。そこで、多和田さんの知人で盲導犬にくわしいベテランのブリーダーに適性判断をお願いしたのである。水戸家を訪れたブリーダーは一時間ぐらい一緒に遊んで、仔犬たちの様子を観察した。

『おいで』と呼びかける。それにこたえてすぐにパッとくる子は盲導犬には向いていない。はしゃぎ過ぎない子、考えてからくる子、人の声や物音に惑わされず、落ち着いて『何？』と、声をかけた人の目を見るような子が盲導犬には向いている」のだそうだ。まず、五匹の仔犬たちに声をかける。仔犬たちはそれぞれどんな反応を示すのか。

最初に反応したのはやんちゃなスバルで、ブリーダーのところに一目散に駆け寄って尻尾を振る。北斗は、声をかけたブリーダーにではなく、水戸さんのもとに走ってきた。お転婆むすめのパトラッシュも反応は速かった。最後にトコトコやってきたのがアンディとジョナサンだった。

五匹それぞれの反応がまさにその性格を表している。水戸さんの予想どおり、ブリーダーが選んだのはジョナサンとアンディだった。

「この二匹なら、どちらでもいいと思う」

これがブリーダーの下した結論だった。

そうと決まると、水戸さんの決断は早い。

「ジョナサンにします」

このとき、水戸さんはジョナサンのわき腹にある十字形の黒いマークに因縁《いんねん》めいたものを感じて「この子がいい」と決めたのである。ジョナサンが盲導犬となるための第一歩を踏みだした瞬間だった。

視覚障害者の目となって、安全に、しかも快適に誘導する役目を果たすのが盲導犬であるのは、日本でもよく知られている。

盲導犬の歴史は古く、ヴェズヴィオ火山の噴火で灰に埋もれた都市、ポンペイの壁画にはすでに、視覚障害者と思われる男性が犬に導かれて市場を歩く場面が描かれている。六世紀には、盲目の宣教師が白い小型犬に導かれ、フランス北部を布教して歩いたとも伝えられている。そして、盲導犬の訓練が現在のようにきちんとしたシステムに従っておこなわれ、福祉事業として取り組まれるようになったのは、第一次世界大戦後のドイツでだった。数多くの軍人が戦争で負傷し、失明したため、

彼らを助ける目的で盲導犬が育成された。一九二七年ごろのドイツには、約四千頭もの盲導犬がいたという。その後、盲導犬育成事業はヨーロッパ大陸、アメリカなどに広がり、現在では二十数カ国でおこなわれるようになっている。日本に紹介されたのは一九三八年、盲導犬を連れて旅行中のアメリカの青年が立ち寄ったのが最初だった。日本で第一号の盲導犬が誕生したのは、それから十九年後。日本盲導犬協会の設立は六七年である。

日本では、ジョナサンと同じラブラドール・レトリーバーやゴールデン・レトリーバー、ジャーマン・シェパードなどの中型犬が盲導犬として多く使われている。自動車にはねられそうになった主人をかばい、身代わりになって片足を失ったことで有名な盲導犬サーブ号はジャーマン・シェパードだったが、近ごろ、この犬種の盲導犬はあまり見かけないようだ。見た目が精悍《せいかん》で少し怖く感じるせいか、ラブラドール・レトリーバーのほうが好まれるようになったからだ。もとは狩猟犬として改良されてきたレトリーバーの性質は温和で、人間と共に行動することを喜ぶ。そしてラブラドール・レトリーバーは、もともとカナダのラブラドール半島で猟師のアシスタントをしていたこともあって、今でも泳ぎは得意だ。

盲導犬は、生涯に何度かの別れを体験しなければならないのだが、生後二～三カ月を目安に最初の別れの日がやってくる。盲導犬候補となる犬を産ませるための繁殖犬を飼い、生まれた仔犬を供出するボランティアであるブリーダー〈生ませの親〉との別れだ。その後、一歳の誕生日を迎えるころまでパピーウォーカー（直訳すると〝仔犬を連れて歩く人〟。仔犬を育てるボランティアのことで〈育ての親〉とも呼ばれる）に預けられるのだ。〈パピーウォーキング〉というのは、仔犬が家族の節度ある愛情にふれ、家族の一員として気ままに過ごしながらも、犬にとって人間が信用できる相手であることを認識していく大切な時期である。短いけれどとても大切な一年間なのだ。

ジョナサンと水戸さんの別れの日は、生後四十三日目にやってきた。いくら犬が賢いとはいっても、ジョナサンはまだまだ仔犬。別れの意味などわかるはずもない。

水戸さんが、いつものようにジョナサンを抱きあげる。ジョナサンはそれがうれしくて水戸さんの顔をペロペロ舐める。足もとでは、他の四匹が自分も抱いてほしいと飛び跳ねたり、足に絡みついたりしていたが、この日だけは、水戸さんはジョナサンを抱きかかえたまま離さなかった。ジョナサンを抱いて部屋を出ようとする水戸さんを、キャンキャン啼《な》きながら他の四匹が追いかけてくる。

これからジョナサンが向かうのは京都。京都市西京区《にしきようく》に住むパピーウォーカー、仁井《にい》さんの家である。水戸さんの息子さんが運転する羽田空港に向かう車内で、ジョナサンはうとうとと夢のなかをさまよっていた。長い旅の途中で興奮しないように、獣医さんに精神安定剤を与えられていたからだ。大人の猫ほどの大きさのジョナサンを膝《ひざ》にのせ、羽田に着くまでの一時間半、水戸さんは何度も何度も「元気でね、

頑張ってね」と話しかけた。盲導犬を供出したいと願ったのは自分なのに、そして、その念願がかなおうとしているのに、喜びよりもさびしい気持ちでいっぱいだった。だから「元気でね」「頑張るんだよ」という言葉しか出てこなかったのだ。

空港に着いたジョナサンはケージ（動物を入れるカゴ）に入れられた。けれど、もうこれでお別れかと思うとなかなか扉が閉められず、元気のないジョナサンの頭を何度も何度もなでた。薬のせいだとわかっていても、さびしくてしょんぼりしているように思ってしまうのだ。元気でね、元気でね、とまた言って、最後にもういちど頭をなでてから扉を閉めた。カウンターでチェックを受けたジョナサンは台車で運ばれていく。目的地は大阪の伊丹《いたみ》空港である。ケージのなかの小さな影が動いたのは、ジョナサンが身体の向きをこちらのほうに変えたからかもしれない。もう聞こえるはずもないのに、キャン、キャンと啼くジョナサンの声が水戸さんの耳にだけは届いていた。

八六年の夏、ジョナサンが経験した最初の別れだった。風の強い日だった。

育ての親、パピーウォーカー

京都に住む仁《に》井《い》勇《いさむ》、三都子《みつこ》さん夫妻がパピーウォーカーのボランティアを始めたのは八四年のことだった。夫婦ふたりきりの暮らしで、子どものように可愛がっていたコリー犬が亡くなり、家のなかは「まるで火が消えたように」という言葉がぴったりするくらいさびしくなっていた。ふたりとも大の犬好きで、「もういちど犬を飼おう」と話しあったりもしたのだが、愛犬に死なれる辛さを思うと、どうしてもその勇気が出なかったのである。関西盲導犬協会がパピーウォーカーを募集しているのを新聞で見つけたのは、ちょうどそんな時期だった。

「可愛いさかりの犬を手放すとわかっていながら育てるのは辛い。でも、長年いっしょに暮らした犬と死に別れるよりは耐えやすいんじゃないか。そう思ってボランティアに応募したんです」

悩んだ末に選んだパピーウォーカーの道だったが、最初に預かった真っ黒なラブラドールのランで、ふたりは手痛い失敗を経験してしまう。間の悪いことに、夫婦ともに忙しい時期にやってきた犬をなかなかかまってやれず、そのせいなのか、ラ

ンはいっこうになつかなかった。散歩に行こうと言っても動かない。言うことを聞いてくれないばかりか、勇さんを嚙《か》むことすらあって、預かって二カ月ほど経ったころにはもうお手上げだった。どうにも手に負えず、「泣く泣く盲導犬協会に返すしかなかった」と仁井さん夫妻は当時を振り返る。けれども、ランはその後、ちゃんと盲導犬として働きはじめ、ふたりを安心させている。そして二番目に預かったジョナは、盲導犬となってから、使用者の宮本《みやもと》 武《たけし》さんといっしょに富士山や白山に登ったり、あるいは四国、秩父《ちちぶ》、坂東《ばんどう》の百観音めぐりなどをして、育ての親である仁井さん夫妻を喜ばせたものだ。

ジョナサンは、仁井さん宅で預かる三頭目。苦い経験もうれしい結果も味わい、盲導犬候補の犬を預かることに少しばかり余裕が出てきたころであった。

八月七日。仁井さん夫妻は、ジョナサンの到着を今か今かと待っていた。ジョナサンを盲導犬訓練センターに送りだしてから約半年。家から犬の啼き声が途絶《とだ》えたきりになっている。東京からやってくるのは生後四十三日目のイエローのラブラドール犬ということ以外、何もわからない。いったい、今度はどんな仔犬がやってくるのか。その日の朝から夫婦の話題は三頭目の仔犬のことでもちきりだった。

ジョナサンを伊丹空港まで迎えにいった盲導犬訓練士の多和田さんの車が仁井さん宅に着いた。ひたすら到着を待ちわびていたふたりは、玄関のチャイムが鳴ると、小走りで迎えに出た。ところが、現われたジョナサンは、妙に元気がない。まだ薬の影響が残っていたからだ。そうとは知らない三都子さんは、口にこそ出さなかったけれど、心のなかでは「あらあら、こんなんでちゃんと育つのかしら」と心配になった。そして、すぐに、仔犬のわき腹の黒い模様に気がついた。

「どうして×印が描《か》いてあるの？」

まさか毛の色だとは思いもよらず、てっきり何か意味があって×印をつけてあるのかと考えたのだった。

盲導犬となる仔犬がパピーウォーカーの家で暮らす期間は、だいたい一歳の誕生

日のころまでである。ジョナサンは、仁井さん宅に預けられた日から約八カ月後には京都府亀岡《かめおか》市にある関西盲導犬協会の盲導犬総合訓練センターに行くことが決まっていた。名前も、京都に着いた日からクイールに変わった。パピーウォーカーに預けられるときに訓練センターが付けた名前だ。盲導犬の名は登録された期ごとにアルファベットの頭文字が順番にふられるのだが、ジョナサンには〈Ｑ〉がつくことになった。Ｑで始まるクイール（＝ＱＵＩＬＬ）、鳥の羽根という意味である。カモメが羽根をひろげて飛んでいるようにも見えるわき腹の黒い模様にぴったりの名前だった。

　訓練士の多和田さんは、クイールを預けるときに、仁井さん夫妻にある頼みごとをしている。

「この子は、何があっても叱らないでください」

　ベテランの盲導犬訓練士、多和田さんは、犬と接してきた長い経験から、叱らずに育てることがクイールの盲導犬としての適性を伸ばすいちばん良い方法だと感じ

仁井

た。「魔術師」と呼ばれていた。盲導犬関係者のあいだで、多和田さんは「魔術師」と呼ばれていた。だれもが手こずる犬でも多和田さんがリードを持つと、おとなしくぴったりと寄り添って従う。犬の言葉がわかるとしか思えない。そのうち「あの人は人間ではなく犬なんじゃないか」と言われるほどになった。その多和田さんの助言である。仁井さん夫妻は、無条件で従うことにした。

クイールはやんちゃな仔犬だった。とびきりというわけではなかったが、到着したときのしょんぼりぶりが嘘のように、仔犬特有のやんちゃぶりを発揮した。

庭を駆けまわり、プランターを飛び越えるのがクイールの最初に覚えたお気に入りの遊びだった。網戸を開けるコツを覚え、庭に飛びだしては走りまわり、寝ている勇さんの髪の毛を噛んでは「遊んでよ」と催促する。

「こりゃ、やんちゃやな〜」

勇さんは、クイールと過ごした八カ月間に、笑いながら何度この言葉を言っただろうか。

三都子さんはといえば、ことあるごとにクイールに話しかけていた。言葉を覚えさせようとしたわけではなく、まるで自分の子どものように可愛くて、言葉をかけずにはいられなかったのだ。

「そりゃもう、本当に一日じゅう、クイールとしゃべりっぱなしでした」

勇さんが呆れたような口調で三都子さんの様子を話し、すると三都子さんが「だから、クイールは人の言葉がわかるようになったんですよ」とうれしそうに笑う。

仁井家で、クイールの寝床は玄関横のサンルームと決まっていた。本当は自分たちと同じ部屋に寝かせたかったのだが、盲導犬として働きだしたとき、使用者がどのように接するのか、見当もつかない。もしかしたらクイールの寝床は家の外になるかもしれないし、玄関先かもしれない。そう考えると、仔犬のうちから「寝床は人間と別」ということに慣れていたほうがクイールのためだと判断したからだった。けれど、それを除けば、仁井さん夫妻とクイールは何をするにも、どこに行くにもいっしょだった。

重さ
4.15 kg
SUPER SCALE
Menix
OFF

八月のお盆のときにはお祭りに行き、クイールは初めて大勢の人込みのなかを歩いた。冬には雪の上を駆けまわる。お気に入りの散歩コースは家の近所を流れる小畑川《おばたがわ》のほとりだった。春になると川に沿って歩き、お花見をした。クイールを抱っこして「ほら、桜の花だよ。満開だね」と花に近づける。飛んできたカモを指さし「あれが鳥だよ」と教えたり、春先には冬眠から起きて出てきたヘビと顔を合わせてビックリしたこともあった。パピーウォーカーのつとめには、こうして仔犬が自然とふれあう機会をつくり、教えていくことも含まれている。クイールの散歩コースは通学路でもあったので、学校に通う子どもたちとも顔なじみになった。みんなに「クーちゃん」と呼ばれ、小さな手に頭をなでられて、ちぎれるほど尻尾をふる人なつこい犬に育っていった。

クイールの、もうひとつの散歩コースは近所の商店街。仁井さん夫妻は、クイールが人と接する機会をできるだけ多くしてやりたいと考えたからだ。三都子さんが買い物にいくときは、いつもクイールがいっしょで、じきに商店街のアイドルにな

った。道ゆく人もお店の人も、クイールを見ると声をかけてくれる。わき腹の黒いカモメ模様が「夢」という字に読めるらしく「夢ちゃん」と呼ばれることもあった。「夢ちゃん、昨日よりまた大きくなって……」

このころのクイールは、日に日に大きくなるのが実感できるくらいの勢いで成長していった。京都にきたときは四キロほどだった体重が二〇キロ近くになっていた。仔犬としても可愛いさかりだった。しかし、そんな八カ月間は、あっという間に過ぎていく。八七年春、ついに別れの日がやってきた。仁井さん夫妻とクイールは、めったに会えなくなる。盲導犬として働きだすと、昔を思い出さないようにパピーウォーカーとは会えない決まりになっているからだ。

勇さんと三都子さんとクイールの最後の散歩は、いつもより長い散歩だった。いつもより遠くへ、ゆっくりゆっくりと歩いた。

お風呂場で初めてシャンプーをしたときもクイールはイヤがらなかったね。泥だらけの足をしているときは「ＯＫ」と言うまで決して家のなかに入らず、じっと伏

48

せをして待っていたな。――そんなお利口なところと、やんちゃなクイールと、両方が思い出されて胸がいっぱいになる。

最後の散歩を終えて、クイールは多和田さんの車に乗り込んだ。出発の時間だった。仁井さん夫妻がいっしょに乗ってこないのが不思議だったのか、けげんな表情でクーンと鼻をならした。不安そうに首をかしげ、ふたりのほうをながめている。

走りだした車の後ろ姿に向かって、手を振った。去っていくワゴン車の後ろの窓ごしに、クイールがふたりから一時も視線をはずさずに座っている姿が見える。ふたりは涙が出そうになるのをこらえ、いつまでもいつまでも走り去る車に向かって手を振りつづけていた。

「育てた犬との三度目の別れでしたが、こればっかりは慣れるということはありません。クイールがいない部屋に戻ると、なんだかものたりなくて……」

しかし、仁井さん夫妻は「別れのときはたしかにさびしいけれど、それでもパピーウォーカーは最高に楽しいボランティアです」と言って笑った。

トレーニングのはじまり

「犬は働くのが好きでしょうがない。だから、盲導犬になるための訓練も、使用者の言うことを忠実に守るのも犬にとっては楽しいことなんです。厳しい訓練を想像して『犬がかわいそう』と思われるかもしれませんが、実はそうじゃないんですよ」

盲導犬訓練士でありクイールの〈しつけの親〉である多和田さんは「犬にとって厳しくて辛い」と誤解されやすい盲導犬の訓練についてそう話す。とはいうものの、それまで仁井さん夫妻に愛され、自由気ままに育てられてきたクイールである。盲導犬としての訓練を続ける十数頭の犬たちとの共同生活がはじまり、大きく変わった環境のなかで、すぐにクイールらしさを発揮して、というわけにはいかなかった。

訓練の初日、クイールは「いやだっ」とばかりに後ずさりし、ガンとして動こうとはしなかったという。

「クーはね、とてつもなく頑固なやつでした」

「考えて行動するんだけど、動きだすのはワンテンポ遅い。クーはね、若いのにオッサンみたいなやつでした」

投げたボールを取ってくる基礎訓練でも、クイールはマイペースだった。仲間の犬たちはいちばんになりたくて、競ってボールを追いかけるのに、クイールはあわてず騒がず、まるで動かないことすらあった。

多和田さんはクイールを「クー」と呼び、ぶっきらぼうな調子でさまざまなエピソードを話してくれた。言葉にするとあまりクイールのことを認めていなかったように聞こえるかもしれない。しかし、違うのだ。表情も変えずに淡々と「クーはね……」と話しだす多和田さんの目は優しげで、クーとの懐かしい日々の記憶を大切なものとしてたぐり寄せているのがわかる。

クイールの新たな生活の場となったのは、保津川《ほづがわ》下りの出発点として有名な京都府亀岡市にある関西盲導犬協会の盲導犬総合訓練センターだった。

盲導犬の育成と普及を願う市民が集まって八〇年一月に発足した関西盲導犬協会は、八三年に「盲導犬を訓練し認定する法人」として国家公安委員会の指定を受けた。以来、年間十～二十頭の盲導犬を育成してきている。けれども、盲導犬の数はまだまだ足りない。日本で実際に働いている盲導犬の数が八百五十頭（平成十一年度実数。日本盲人社会福祉施設協議会調べ）なのに、盲導犬を待っている視覚障害者の数を推定すると、四千七百人近くいるはずなのだ（日本財団公益福祉部環境福祉課調べ）。ちなみにアメリカでは約六千頭、英国では約四千頭の盲導犬が活躍しているのと較べてみれば、いかに日本では盲導犬の数が少ないかがわかるだろう。

　その理由のひとつには育成するためにかかる資金の問題がある。一人前の盲導犬を育てるには一頭につき三百万円かかるという。一般からの寄付金もじゅうぶんに集まらないし、国の助成金も不足している。そのうえ、盲導犬訓練士の数もまるで足りないのだ。

「盲導犬の訓練士になりたい」という問い合わせは決して少なくないのだが、三年ないし五年という長い研修期間のあいだに、夢破れて脱落していく人が非常に多いという。日本盲人社会福祉施設協議会盲導犬委員会の調べによれば、たとえば九二年から九五年の研修修了率は、研修三年目で一二・七パーセント。つまり、盲導犬

訓練士になりたいと希望し研修を始めた人が九二年に百人いたとしても、研修修了時には十三人しか残っていないということなのだ。多和田さんは「犬にとって盲導犬の訓練は辛くない」と言ったけれど、その盲導犬を訓練する訓練士になる道のほうは、どうやらとても厳しいらしい。単なる犬好きというだけでは訓練士になれない。むしろ犬より人（視覚障害者）について学ぶことが多く、大変なのだ。

盲導犬が不足するもうひとつの理由は、育成期間がおよそ一年半かかり、しかも訓練センターにやってきた候補の犬たちのすべてが盲導犬になれるわけではないところにもある。「魔術師」の異名をとる多和田さんですら、訓練センターにやってくる犬を盲導犬に育ててあげる確率は当時、約八〇パーセントだった。多和田さんが残したこの数字は驚異的なものとされている。しかし、「あのころは、かなり無理をして育成していた」とも多和田さんは語っている。今だったら、盲導犬にしなくてもいいのではないかと思えるような犬も、当時はかなり無理をさせて訓練していたという。リジェクト（＝脱落）した犬は能力が劣っているというわけではなく、あくまでも訓練を進めた段階でしかわからない、盲導犬としての適性を判断した結果である。〃血統〃を頼りに訓練センターに集められた候補犬でさえ、盲導犬になるのはこれほど難しい。

母親のツキスミが盲導犬ではなく家庭犬だったので、クイールは最初の関門である〃血統〃が疑問視されていた。それでもクイールが盲導犬になれたのはなぜか？

二百頭近い盲導犬を育てた多和田さんの評価はこうだ。

「クーはね、盲導犬としての適性や能力はごく平均的でした。でも、素直さの光る犬だった。そして、素直さ以外にあまり特徴のない、つまり強烈な個性のない犬だったんです。それは、盲導犬になるにはとてもいい資質なのです」

訓練の初日に尻込みして動こうとしなかったクイールだったが、やがて本来の元気を取り戻す。

訓練センターでの生活は、いつも多和田さんや仲間の犬たちといっしょだった。

この時期、多和田さんが訓練を担当していたのはクイール以外に十頭。ほかに若い訓練士の担当する犬もみていたので、全部で十六頭の犬たちと寝食をともにし、それこそ四六時中いっしょだったと言っていい。十六頭それぞれの性格や能力を頭にいれて、犬たちに接する多和田さん。朝起きてから、散歩、訓練、食事、おしっこやウンチの始末、ときには病気の世話まで、とにかくクイールたちのそばには、いつも多和田さんの姿があった。

クイールは他の犬たちに受け入れられ、好かれていたようだった。しかし、どこかマイペースでひょうひょうとしており、仲間の行動にあまり左右されない。特別仲のいい犬もいなかった。訓練を受けている犬たちは朝、犬舎から出されるとまず、投げられたボールを追いかけていっせいに走る。多和田さんが考案した基礎運動の一種で、何頭もの足音が重なり、ドドドというすさまじい音になるため、〝ドドド〟と呼ばれている。ところが、クイールはいつのまにか群れから離れ、多和田さんの足の横にぴったりと寄り添っているのだった。

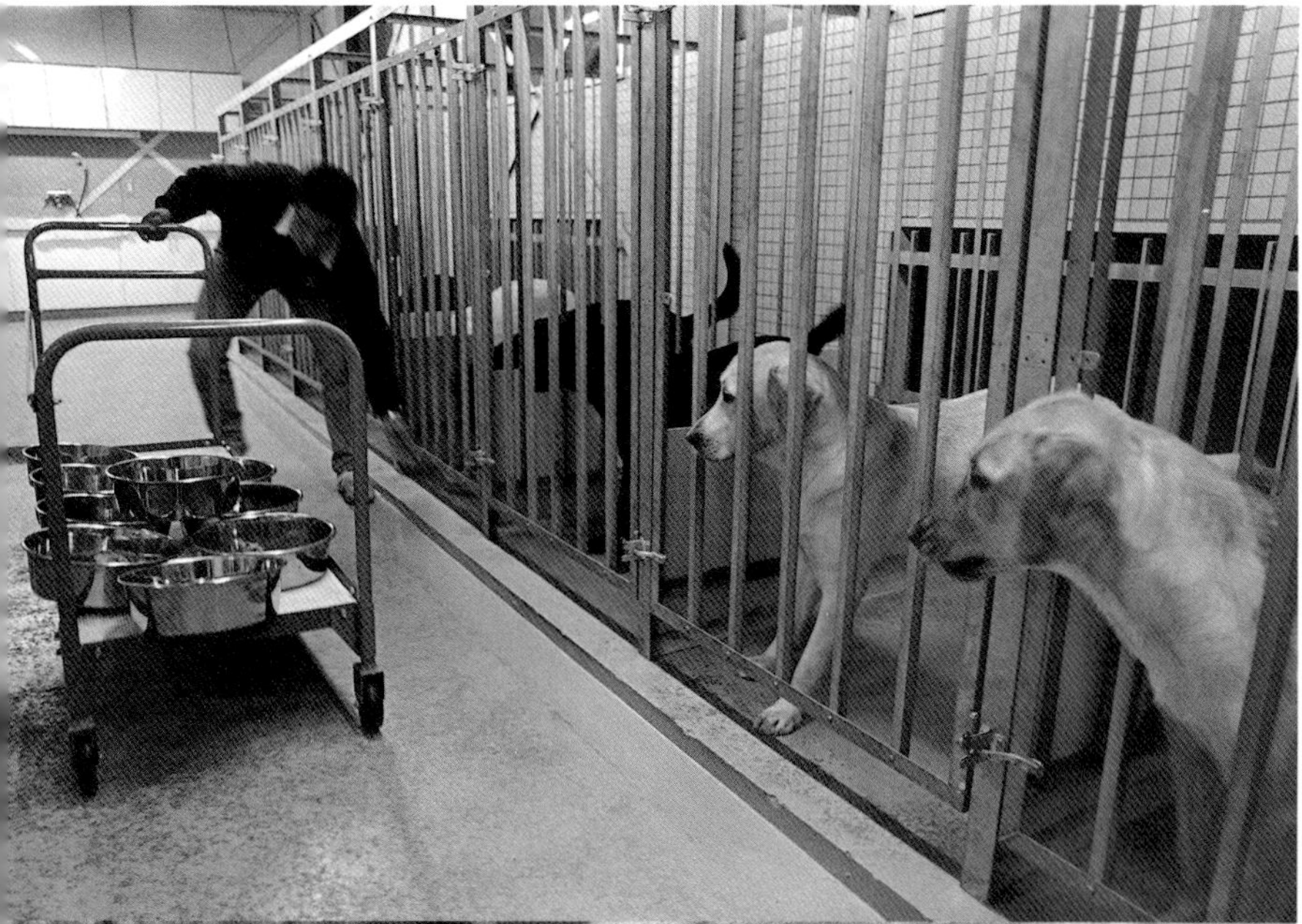

訓練センターでの第一歩は、まず服従訓練から。訓練士に意識を向けさせ、その指示に従うという訓練である。指示には英語が使われる。英語であれば、方言や、男性と女性の言葉づかいの違いに犬が混乱することがないからだ。「お座り」はＳｉｔ、「伏せ」はＤｏｗｎ、「待て」はＷａｉｔ、「よしよし、いい子だ」とほめてなでるときは「Ｇｏｏｄ（グーッド）」という具合。たとえば「Ｗａｉｔ」と言われたら、次の指示が出るまで何が何でも動かない――という訓練である。この訓練と同時に、食事や排便などが規則的にできるよう習慣をつけていく。このように基本的なセンター内での基礎訓練を積みながら、少しずつ路上に出るようになり、本格的な誘導訓練が始まるのである。

交差点で止まったり、障害物を避けて歩くのは、視覚障害者を安全に誘導するための訓練である。まず練習するのは、使用者（訓練士）に「角《かど》（コーナー）があるよ」と教えて曲がる〈角探し〉。段差があるのを教えてからのぼり降りする〈段差探し〉。ぶつかりそうなものがあれば、それを避けて通る〈障害物避け〉。たとえばコーナーワークというのは、曲がるべき角を見つけたら、角の直前でいったん止まって安全を確認し、まず犬が歩きはじめる、という具合だ。

クイールは仔犬のころと同じように訓練センターでもマイペースだったというが、その一方で、多和田さんから見れば「思ったように動いてくれる犬」でもあった。クイールの素直さは、指示にはちゃんと従い、言うことをよく聞く、訓練士の目には育成しやすい犬と映っていたようなのだ。

「安全＝《イコール》快適＝気持ちいいこと。危険＝不快＝いやな気持ち。それを理解させる。つまり、盲導犬育成は心理学であり、科学なんです」

多和田さんは盲導犬育成の極意をそう話す。

人間のそばにいるとほめてもらえるので心地よい。自動車が通る場所は「ノー」と言われるからイヤ。こうした感情を覚えさせるのが重要で、そのために多和田さんが考えだしたのがマウスドラムという手法である。盲導犬が人の横に座っているとき、足に犬の顔をふれさせて「グーッド、グーッド」と言いながら、頰《ほほ》を手でポ

トレーニングの
はじまり

ンポンポンと軽く叩いてやる。それは犬たちにとって非常に心地よいものらしい。こうして人間のそばにいるのは気持ちがいい、ということを覚え込ませるのだ。

仲間の犬たちと同じく、クイールも頬をポンポンと叩かれるのを喜んだ。たとえうれしくても、訓練中はその喜びを大げさに表現してはいけないんだとわかるようになっていたクイールは、「グーッド」とほめられたとき、いつも決まって目を細め、鼻面を人の足に押しあてながら頬をすり寄せてきた。「もっと触って」という合図である。そうやって、自分の

うれしさを伝えたものだった。
多和田さんが続ける。
「犬は、自分の立場、地位を決めてもらうと気持ちが安定するんです。『私がお前の主人だ』と言われれば、その下につくポジションなんだと納得するのです」
主従の関係を認識させることで、犬は自分の位置がわかり、安定した気分で指示に従うようになり、訓練もスムーズに進む。そして、いき着くところにある訓練の成果が、「Ｇｏ！」と指示されても〝行かない〟こと。ただ言われたとおりに動いていたのでは、自動車の通る危険

な道でも進んでしまう。そうならないために、自分で考えて行動する〈利口な不服従〉を覚えさせなければならないのだ。

交差点で止まって自分の判断で自動車が通りすぎるのを待ち、「どう、これでいいんだよね!?」とばかり得意げに多和田さんの顔を見上げるクイール。

クイールは着実に訓練をこなしていった。もう脱落の心配もない。訓練センターにやってきて一年半。クイールが盲導犬と呼ばれるようになる日は確実に近づいていた。

盲導犬として

亀岡市内に住む渡辺《わたなべ》満《みつる》さん（当時五十二歳）が訓練センターを初めて訪れたのは八八年十月。クイールの訓練が始まって約一年半たった日のことだった。

亀岡市の視覚障害者協会で仕事をしている渡辺さんは、三十二歳で視力を完全に失った中途失明者なのだが、生まれも育ちも亀岡市内であり、街のこととなると、どんな細い裏道も熟知していた。けれど、完全失明してからというもの、さすがに裏道もというわけにはいかず行動範囲は限られるようになってしまい、見かねた周囲の人たちが何度も盲導犬と暮らせばいいのにとすすめていた。

「犬に牽《ひ》かれるくらいなら死んだほうがましだ」

あまり犬好きとはいえない渡辺さんは頑固にそう言い張っていた。しかし、周囲の人々の強いすすめに、ついにしたがうことにした。それでも、しぶしぶといった調子で訓練センターにやってきたのだった。

一年以上の時間をかけて育成された盲導犬でも、いきなり初対面の使用者の目となって自由自在に歩けるわけではない。使用者も盲導犬と歩く練習が必要で、その

ためにおこなわれるのが共同訓練である。渡辺さんは、共同訓練に参加するため、訓練センターにやってきたのだ。

訓練センターには、すでに訓練を終えた、いつでも盲導犬として働ける犬がクイールを含めて三頭いた。どの犬が渡辺さんの目となって働くのか、決め手は使用者と犬の相性。それを見極めるのも訓練士の仕事である。

渡辺さんとクイールを引き合わせた多和田さんが言う。

「犬の性格を見極めたうえでないと相性の良し悪しがわからない。だから、専門家の目で選ばなければならないのです。渡辺さんとクイールのコンビも私が決めたのですが、三頭と接した結果、渡辺さんから出た希望もクイールだったんです」

多和田さんが渡辺さんのためにクイールを選んだ理由は三つあった。すでにクイールはじゅうぶんに時間をかけて訓練されており、安定していたこと。渡辺さんの仕事は事務所で過ごす時間が長いのだが、クイールは待つことが苦にならない性格の犬だったこと。そして、歩きかたもゆっくりしていて、渡辺さんの歩調にうまく

あわせていけそうだったからだという。

歩行指導とも呼ばれる共同訓練は、個人差はあるものの、センターに泊まり込みでおこなう場合は基本的に四週間、通いの場合は五〜六週間ほどかかる。歩行訓練だけでなく、この間に、使用者は盲導犬の使い方や世話のしかたなど、基本的な知識を身につけていく。盲導犬が働き始める前に、使用者と犬がお互いを理解しあうための大切な期間なのである。


ある盲導犬使用者は「ハーネス（盲導犬が装着する盲導具）をとおして青空を見ることができる」と言い、また別の使用者は「盲導犬を失ったとき、再び失明したと思った」と語ったという。

盲導犬は、視覚障害者にとって単なる「道案内をしてくれる犬」ではない。〝犬嫌い〟の渡辺さんの盲導犬に対する意識に変化が現われたのは、クイールとコンビを組んで間もなくだった。

渡辺さんがクイールに装着するハーネスを手際よく扱えるようになったころ、失明してから決してひとりでは行けなかった場所まで足をのばし、「今日はね、クイールと遠くまで行ってきたよ」とうれしそうに多和田さんに報告している。

「こいつのおかげなんだよ……」

渡辺さんがクイールをなでながら、折にふれつぶやくようになったのも、このころからだった。

ある日、思うようにクイールとの歩調があわず、「ふ～っ」とため息をついてベンチに座り込んでしまった渡辺さん。するとクイールは、渡辺さんの踵《かかと》のあたりに自分の身体をぴったり着けて横たわった。共同訓練が始まって、まだ一週間ほどしか経っていない日の出来事だ。

この様子を見ていたのが、写真家の秋元良平さんである。秋元さんは、この時点で、すでに二年以上クイールの姿を撮りつづけており、盲導犬育成の現場も長く見てきていた。その秋元さんが驚く。

「不思議なくらいピッタリ寄り添うんです。わずか一週間ほどで、ここまで信頼を寄せるのは珍しい。クイールのその姿を見て、『この人といっしょに生きていくのがわかっているんだなぁ』と感じたものでした」

夜、訓練センターの宿泊所に入り、自分の部屋に布団を敷く渡辺さんと、その様子を見つめるクイール。静かに見守っているようで、よく見るとクイールはそわそわしていて、もし渡辺さんが「手伝ってくれよ」とでも言おうものなら、本当に手を出しかねない。そんな様子なのである。

共同訓練は簡単な作業ではなかったが、指導する多和田さんや写真を撮る秋元さんの目には「たいへんだけど、仲がよくて楽しそう」と映っていた。そして共同訓練が終わるころには、「わしゃ、犬はいらん」とまで言っていた渡辺さんの、盲導犬に対する認識はまるで違うものに変わっていた。

「盲導犬は、ただ道を教えてくれるだけと思っていましたが、でも違いました。いっしょにいるだけで気持ちを明るくしてくれる。友だちなんですね」

このころ、訓練の休み時間になると、決まって見られる光景があった。

椅子に座る渡辺さんの膝に前足をのせ、背伸びするようにして顔を近づけ、渡辺さんの顔をペロペロ舐めるクイール。顔をほころばせ、クイールの頭をなでながら「グーッド、グーッド」と言う渡辺さんの弾んだ声。


人口九万五千人ほどの亀岡市は、保津川下りの出発地点としてだけではなく、京都市の中心部まで一時間以内で通勤できることからベッドタウンとしても知られ、年を追うごとに人口を増やしつづけてきた郊外都市である。

この街の南側に渡辺さんの自宅はあって、仕事場の障害者福祉センターは街の中心部に位置している。渡辺さんはほぼ毎日、バスでここに通う。二カ月前までは白い杖だけが頼りだったが、今はクイールがいっしょだ。バスの扉が開くと、クイールは昇降口で少しだけ先に進んで振りかえり、渡辺さんをリードしながら乗り込んでいく。車内で乗客たちの注目を浴びながらも、クイールは落ち着いてピッタリと渡辺さんの横につき、ちらちらと顔を見上げた。排便は自分でコントロールしているから、出かける前に済ませ、おしっこがしたくなっても家に帰ってくるまで我慢する。そんな様子を黙って見ている乗客たちの誰もが、クイールの賢さに驚きの表情をあらわした。

　クイールといっしょなら渡辺さんはどこにでも歩いていけた。かつて歩いた細い路地裏通りも、クイールといっしょだと安心だったし、失明前に歩きまわったときの思い出さえもよみがえってくる。すべてクイールのおかげだった。けれども同時に、こうして渡辺さんと歩くことによって、クイールもまた、使用者にあわせて歩くという、訓練センターのなかだけでは覚えきれない誘導のコツを学んでいったのである。

　お互いの足りない部分を補足しあいながら歩く渡辺さんとクイールの姿を、多和田さんはときおり街で見かけていた。

「渡辺さんはまだぎごちなく歩いていたけど、それでもクーに『グーッド、グーッ

ド』と声をかける。するとクーもうれしそうにしていました」

家に帰ってハーネスをはずしたときには、渡辺さんになでられると横になり、お腹を出して甘えることもある。クイールがどんなに賢い犬かを渡辺さんが来客に自慢しているときは、ちょっと顎を引いて、いかにも凛々《りり》しく見えるような態度をとったりもしたものだった。けれども、いったんハーネスを着けると、クイールは、その瞬間から見事に盲導犬へと変身し、決して甘えたりじゃれたりすることはなかった。

「クーちゃんは、とにかく賢い犬でしたねぇ」

奥さんの渡辺祺子《よしこ》さんが振りかえる。

「いつだって『何をしてるのかな?』という顔で夫を見つめているんです。クーちゃんのその横顔や表情が、今も忘れられません」

渡辺さんとクイールのコンビは登山にも行った。どこに行くにも何をするにもいっしょだった。

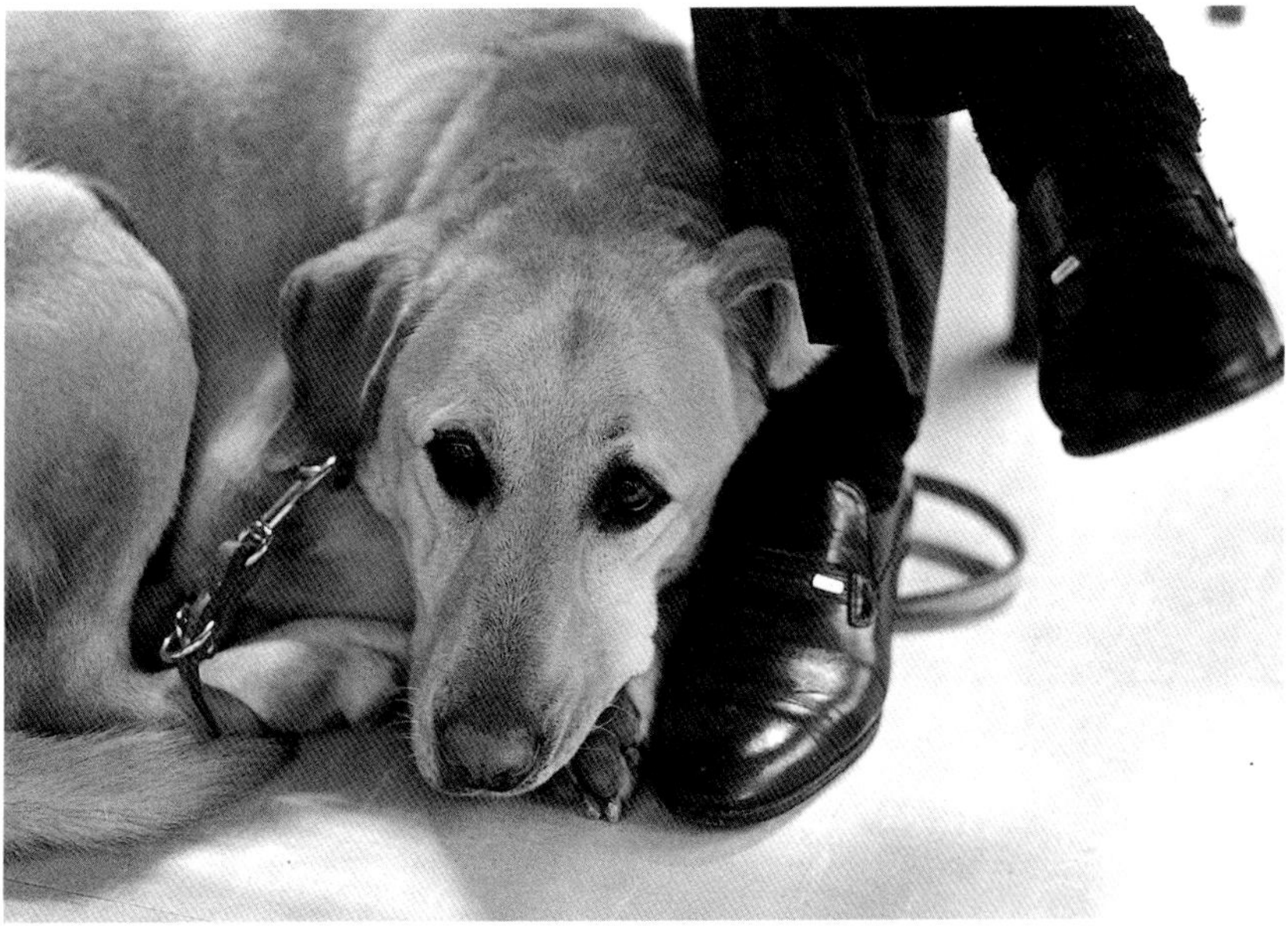

「盲導犬がこんなに素晴らしいパートナーだとは思わなかったよ……」

思わず漏らした渡辺さんの実感だった。

クイールが渡辺さん夫婦と暮らすようになってから、すでに二年がたっていた。この平穏な暮らしに終わりがくるとは誰も想像すらしていなかったある日、異変が起こる。盲導犬使用者どうしのグループで、渡辺さんは立山登山に出かけた。楽しかった登山から戻った日に、突然、体調の異変を訴えたのである。どうにも吐き気がとまらない……。

精密検査の結果、渡辺さんは重い腎臓の病気にかかっていることがわかる。渡辺さんの腎臓は、血液をきれいにする働きがほとんどないほど弱っており、人工透析が必要だった。透析の回数は頻繁になって、渡辺さんは入院する。クイールは祺子さんといっしょに病院へと出かけるたびに、人工透析をしているベッドの近くまで入れてもらい、渡辺さんを見守った。

渡辺さんの入院で、クイールは盲導犬訓練センターに戻った。渡辺さんが退院し

たら、いつでも盲導犬として働けるように、センターで待機することになったのである。そんな状態が三年も続いた。

いっこうに回復のきざしは見えてこなかった。いや、それどころか逆に体調はますます悪化していく。そんなある日、渡辺さんは、思いたったように禎子さんに頼みごとをする。

「訓練センターに行きたい」

犬舎から連れだされたクイールは渡辺さんの姿を見つけ、ゆっくりと近くに歩み寄った。盲導犬としての訓練が、一気にそばまで走り寄りたい気持ちをおさえたのだろう。渡辺さんの体調を察したのか、決して騒ぎたてず、足もとをウロウロしながら尻尾を振りつづけるのだった。

「クー、もう一回、いっしょに歩こう」

クイールの目を見つめて話しかける渡辺さん。久しぶりにハーネスを着けると、クイールは渡辺さんの横にピッタリ寄り添い、以前と何も変わらないように、働く盲導犬の姿勢をとる。渡辺さんのいない三年間、この瞬間をひたすら待ちつづけてきたのだ。

ゆっくりと歩きだす。久しぶりに並んだ二人の影が路面に延びる。けれども、三年ぶりのコンビ復活は、わずか三〇メートルほど歩いただけで終わった。

「うん、もうこれでいい」

渡辺さんは満足げにそう言うと、自分の手でクイールのハーネスを外した。渡辺さんが亡くなる一週間前の出来事だった。

クイールが渡辺さんと出会ってから五年が過ぎていたが、毎日を楽しくいっしょに暮らしたのは、渡辺さんが病に倒れるまでの二年間だけでしかなかった。

「たった二年間でも、クイールは、渡辺さんと過ごしたその二年間で本当のクイールになったんです」

多和田さんは、渡辺さんとクイールの二年間をそう表現する。

「ラブラドールを連れて散歩している人を見かけると、私は今でも夫といっしょに

歩いてくれたクーちゃんを思い出すんです」

祺子さんは、渡辺さんとクイールの二年間を、そう語った。

新しい仕事

体育館には大勢の小学生たちが集まっていた。高学年の生徒のなかには〝盲導犬〟という言葉を知っている子もいたし、ハーネスを着けて視覚障害者といっしょに歩く盲導犬を街で見かけたことのある子は何人もいた。けれども、こんなに身近で盲導犬にふれるのは誰もが初めてだった。

「盲導犬のクイールです。よろしくお願いします」

盲導犬訓練士が紹介する。

あちこちからざわめきが聞こえていた。訓練士が「Ｗａｉｔ」と指示してから、もうずいぶん時間が経っているのに、クイールがその場を一歩も動いていなかったからだ。生徒たちは、話に聞いていた盲導犬が、本当に人間の言うことを忠実に守ることに驚いていたのだった。

何人かの子どもたちがアイマスクをして、ひとりずつクイールのハーネスを握る。実際に盲導犬と歩く体験をしてもらおうというのだ。視覚障害者の感覚を子どもたちに理解してもらうのと同時に、盲導犬の果たしている役割を実際に肌で感じても

らうためのデモンストレーションである。

ハーネスを握った生徒が、教えられたとおり「Ｇｏ」と指示を出す。するとクイールは、大勢の生徒たちが見ている前で、障害物を避け、臨時につくった交差点では一旦停止して、安全確認をしてからまた歩きだす。アイマスクを着け、おそるおそる歩く生徒の歩調にあわせるように、クイールはゆっくりゆっくり歩いてみせた。

まるで息を呑むようにシーンとしてクイールの仕事ぶりを見つめていた生徒たちだったが、ほんの短いデモンストレーションが終わった瞬間、みんないっせいにクイールに拍手を送った。

「すご〜い。盲導犬ってすごい!!」

生徒たちから出る言葉は、いつも同じだった。「すごい」という感想しか出てこないほど、クイールは生徒たちの前で立派に盲導犬の仕事を披露していたのである。

渡辺さんが病気に倒れてから、クイールはずっと盲導犬訓練センターで暮らしていた。ちょうど七歳、人間でいえば四十四歳の働きざかりに、パートナーである渡辺さんを失ったのだ。訓練センターの多和田さんは、新しい使用者のもとでクイールに働いてもらおうかとも考えたが、悩んだ末にそれはあきらめた。クイールの年齢も中途半端だったし、渡辺さんとの生活で身についた〈使用者にあわせた癖〉を直し、最初から出直すのは難しいとの判断があったからだ。

でも、引退するには早すぎる。そこで多和田さんは、クイールを盲導犬普及のためのデモンストレーション犬として再出発させたのである。働きぶりを見せる場所は、もっぱら小学校や福祉関連のイベント会場だった。

「視覚障害者といっしょにいる盲導犬を見かけたときは、可愛いと思ってもなでたりしないで下さい。仕事中なので犬が困ってしまいます」

生徒やイベント参加者たちを前に、街で盲導犬を見かけた場合の接し方などを説明する訓練士。その間、自分の出番がないと知っているクイールは、集まった参加者たちのほうを向いて座り、じっと次の指示を待つ。こうしたデモンストレーションに月に十回くらいの割合で出かけては、そのたびに、生徒たちから「すごい、す

ごい」と驚きの声を聞くクイールだった。

訓練センターで暮らすようになったとはいえ、もう、以前のような訓練の日々ではない。これから盲導犬になろうとする若い犬たちのトレーニングの様子を横目で見ながら、クイールは仕事に出かけるとき以外は、ゆったりと毎日を過ごしていた。朝、犬たちをいっせいに走らせる運動〝ドドド〟には参加していたが……。

ある日のこと。いつものようにデモンストレーションの会場で出番を待ちながら座っていたクイールの様子が、いつもとは少しばかり違っていた。指示されたとおり座ったまま身体は動かないのだが、この日のクイールの目は、訓練士や最前列の参加者にではなく、会場の片隅にばかり向いていた。視線の先には、仁井さん夫妻の姿があったのだ。生後四十三日目から八カ月間いっしょに暮らした育ての親、パピーウォーカーの仁井さん夫妻である。

夫妻は、クイールが第一線を退いてデモンストレーション犬になったのを知ってからというもの、京都市やその周辺でデモンストレーションがあるときを選んで、

そっとクイールの様子を見にいくようになっていたのだ。盲導犬として使用者のもとで働いているときは犬の気を散らさないよう、会えない決まりになっていたし、ふたりとも、もう決して会わないと心に決めてクイールを送りだしたはずだった。けれども、今は事情が違う。デモンストレーション犬であれば、クイールの仕事にも余裕がある。そう思うと、遠くからでも見守っていてあげたいという気持ちが強くなり、会場の隅からそっとクイールをながめるようになっていたのだ。

　クイールも、それに気がついていた。だが、決して仁井さん夫妻のもとに駆け寄るようなことはなかった。

　仁井三都子さんが、そのときの様子を次のように話す。

「クイールには私たちのことがわかっていたんです。指示されたままじっと動かないんですが、目で私たちを追っていましたから……。伏せの体勢で、伸ばした前足を十字に組んで、いつも静かに私たちを見ていました」

やがてふたりは、ある決心をする。デモンストレーション犬としての仕事ぶりを四年ほど見つづけて、クイールの体力が徐々に落ちてきていると感じた夫妻は、訓練センターでの暮らしをやめさせ、自分たちに引き取らせてほしいと申し入れをしたのだ。引退した盲導犬は老犬を介護するボランティアに引き取られるケースがほとんどで、ごくまれに訓練センターで余生を過ごす犬もいるが、パピーウォーカーのもとに戻るケースはきわめて異例だった。しかも、クイールは、まだ完全に引退したわけではない。仁井さん宅で暮らしながら、イベントがあればデモンストレーション犬として働くという、いわば〝通い〟のパートタイマー盲導犬になったのだ。

かつて暮らした懐かしい我が家。九七年五月二十一日、クイールは、ほぼ十年ぶりに我が家へと戻ってきた。

もうすぐ十一歳。人間の歳でいえば、ちょうど還暦の六十歳になる。クイールの穏やかな老後が始まろうとしていた。

さよなら、クイール

十年ぶりの里帰りだというのに、クイールは、八カ月間を過ごした仁井家のすべてを覚えているようだった。

玄関を入ると、かつて自分が寝起きしたサンルームを覗き込み、鼻をこすりつけるようにして床の匂いを嗅いでからその場に伏せ、仁井さん夫妻の顔を見る。このとき、夫妻は不思議な感覚を同時に味わっていた。この十年間の空白など実はなくて、生後四十三日目から今日まで、ずっとクイールといっしょだったような気持ちになっていたというのだ。

クイールは、仁井さんの家のそれぞれの部屋で、昔の記憶を取り戻そうとするかのように、床や畳に鼻を近づけて匂いを嗅いでは、また伏せの姿勢をとる。クイールのそんな姿を三都子さんは目を細めて見守っていた。ひととおり嗅ぎおわるとクイールは三都子さんの前に座り、仔犬のときのように顔を見上げ、「懐かしいなぁ」とばかりに右手を上げて彼女の身体に触れるのだった。

しかし、やはり十年という月日は長かった。クイールは見るからに弱々しく、も

ういっしょに過ごす時間はあまり残されていないのかもしれない。仁井さん夫妻にそう予感させるものがあった。

「最後の時間だから、短いあいだでも大切に、できるだけ楽しく過ごそう」

そうふたりは考えた。

当時仁井家では五歳のゴールデン・レトリーバーを飼っており、そのファンタジー（愛称ファンタ）もクイールを歓迎しているようだった。二頭は仲良く遊ぶことはあっても、いさかいを起こしたことはただの一度もなかった。自分より年上のお兄さんだとわかるらしく、ファンタは常にクイールに一目置いて、食事のときもいつも先を譲っていたという。

クイールの穏やかな日々が始まるはずだった。ところが、ここで暮らすようになって一カ月もすると、デモンストレーションに出かけていくことができないほどクイールの身体は衰弱していった。体調不良の日が続き、訓練センターからきた迎えの車に乗ることさえおぼつかない。もう、クイールに仕事を続けさせるわけにはい

かなかった。

ついに勇さんは、クイールの盲導犬協会からの完全な引退を申し出た。その日はクイール、十一歳の誕生日だった。


肝臓、腎臓、心臓、それらすべての機能が低下していると医者が言う。少しずつ弱っていたクイールの内臓は、もう限界近くまできていたらしいのだ。

「もしかしたら、夏にはもうダメなんじゃないか……」

仁井さん夫妻がそうささやきあうようになるほど、クイールの体調はどんどん悪化していった。京都の夏は暑い。まるで食欲のないクイールに少しでも体力をつけてもらおうと食事を工夫し、気持ちに張りを持たせたい一心で、かつてのクイールを知る人たちに会わせ、子どものころ、いっしょに遊んだ近所の犬に会わせたりもした。

「クーちゃんはね、こ〜やったんよ」

三都子さんは、かつて、それこそ一日じゅう話しかけていたときと同じように、クイールに言葉をかけていた。仁井さん夫妻は、くる日もくる日もクイールの回復を願い、それこそ、いいと思うことのすべてをやりつづけたのである。

そのかいあってか、季節が秋に変わるころになるとクイールの体調は少しずつ回復し、やがてファンタといっしょに庭で遊べるようにまでなっていった。昔のオモチャをひっぱり出してきてはファンタと取りあって遊び、散歩に出れば十一年前と同じ道を自分の意志で歩く。もう盲導犬ではない。クイールは、お気に入りの散歩コースを忘れてはいなかったのだ。もう盲導犬ではない。クイールは、仁井さん夫妻は、クイールの歩きたい道を、クイールが進みたい方向へ、クイールに牽かれながらついていった。

仁井夫妻と二頭の犬にとって、願ったとおりの穏やかな日々だった。

九八年の正月、仁井さん夫妻とクイール、ファンタは、往復二時間を歩き、大原野神社まで初詣に行った。いつもと違う料理がコタツの上に並び、いったいこれは何だろうと言いたげにクイールが覗き込む。「あけまして、おめでとう」と話しかけながら、クイールの食べられるものを与える。テレビのお正月番組を二人と二頭で一緒に楽しんだりもした。暖かい部屋のなかで過ごす、平穏で幸せな一年の始まりだった。

クイールに異変が起きたのは、この年の四月。散歩に出る回数が減り、食欲もめっきり落ちてきた。疲れが出たのかと思い、念のため検査を受けると、医者は「極度の貧血」だと言い、その言葉に「白血病の疑いが……」と付け加えた。

「白血病……」

その言葉を聞いた勇さんは「どうしようもないのか」と黙り込み、三都子さんは「そうですか……」と言ったきりだった。

さらに詳しい検査が必要だったが、クイールにその体力は残っていなかった。ついひと月ほど前に勇さんが定年退職を迎え、これからは、ずっとクイールといっしょにいられると思った矢先の出来事だった。

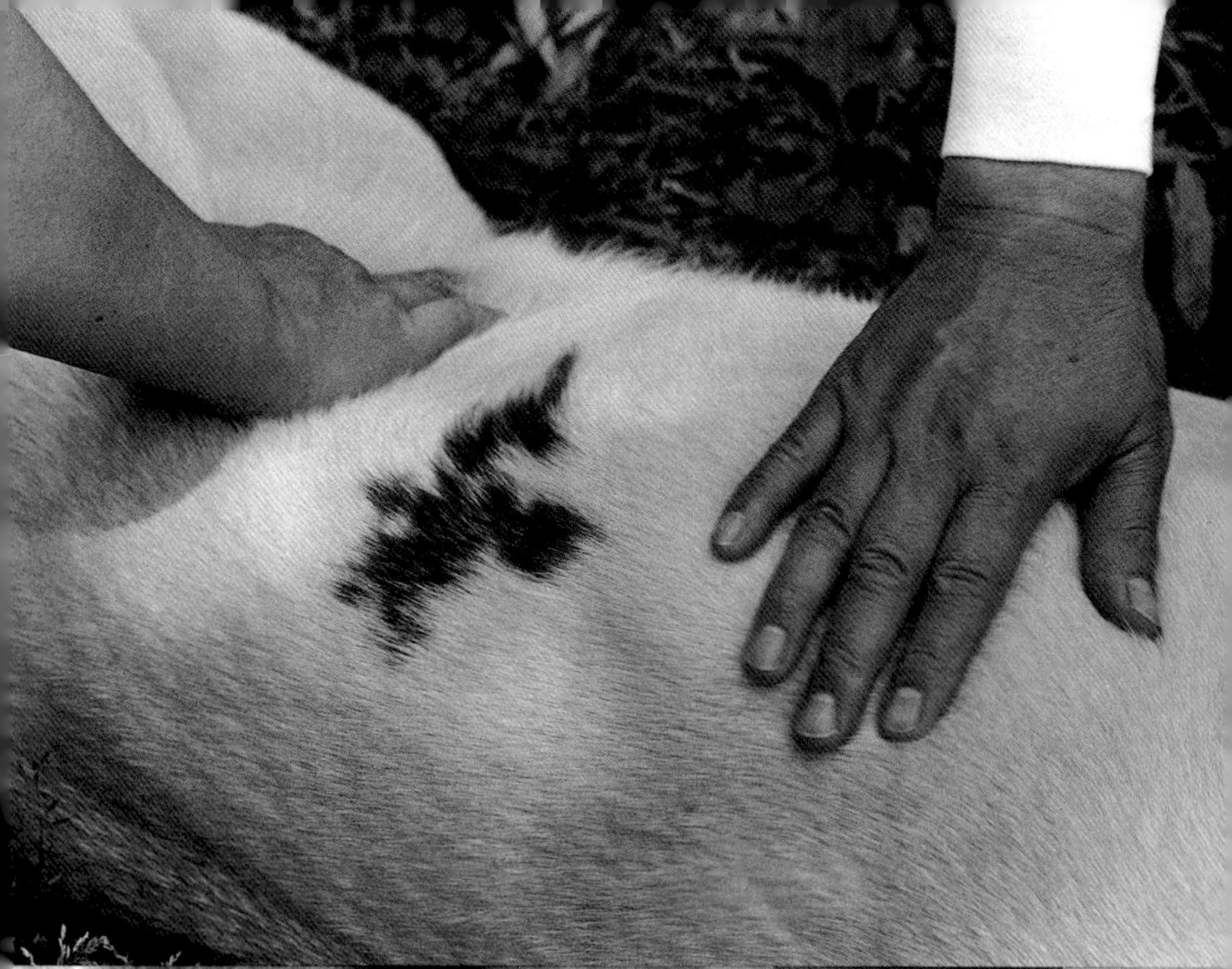

クイールの身体は、みるみるうちにやせ細っていった。そして六月二十七日、ついにクイールは倒れてしまう。十二歳の誕生日の二日後である。

身体が硬直し、首から上だけしか動かせない状態が続いた。点滴も打てない。クイールを布団に寝かせ、夫妻は毎晩その横に座布団を並べて寝た。痩せて骨が浮き出ていた。床ずれをつくらないよう、二時間ごとにクイールの向きを変える。汗を拭く。夜中であっても二時間たつと、必ず身体の向きを変えた。

ファンタもまた、クイールに添い寝をしていた。クイールと勇さん、三都子さんのあいだのわずかな隙間に入り込み、自分の身体がクイールの一部に触れるようにして横になる。そうすると安心するのか、クイールは眠りについた。また、クイールのおしっこが出ないのを知ったファンタは、生まれたばかりの仔犬に母親がするように、何度も何度もお腹を舐めてやった。排便がなくなって二週間目、夜中に便が出たのを夫妻に知らせたのもファンタだった。

そして九八年七月二十日。

この日、クイールの呼吸は朝から荒かった。肺が圧迫されて呼吸が辛いのか、寝返りをしたいと頻繁に訴える。一時間ごとに向きを変えるのが三十分ごとになっていた。だが、だんだんとそれを訴える力さえ、弱まってくるようだった。

勇さんがクイールの頭をなでつづけ、三都子さんが背中をさする。ファンタは落ちつきなくウロウロと周囲を歩きまわりながら、ときどきクイールの顔を覗き込んでいた。

「クーちゃん、ありがとう。もうそんなに頑張らんでええから……」

三都子さんは、静かな口調でクイールにそう言った。

「もうええから、ゆっくりおやすみ……」

クイールが三都子さんを見る。そして勇さんを見た。

「天国に行ったら、仁井クイールですとハッキリ言うんやで!!」

と勇さんが言いきかせるように話しかけた次の瞬間、クイールの瞳孔《どうこう》がみるみるうちに開いていく。そして足を伸ばしたかと思うと、息が止まった。午後二時四十

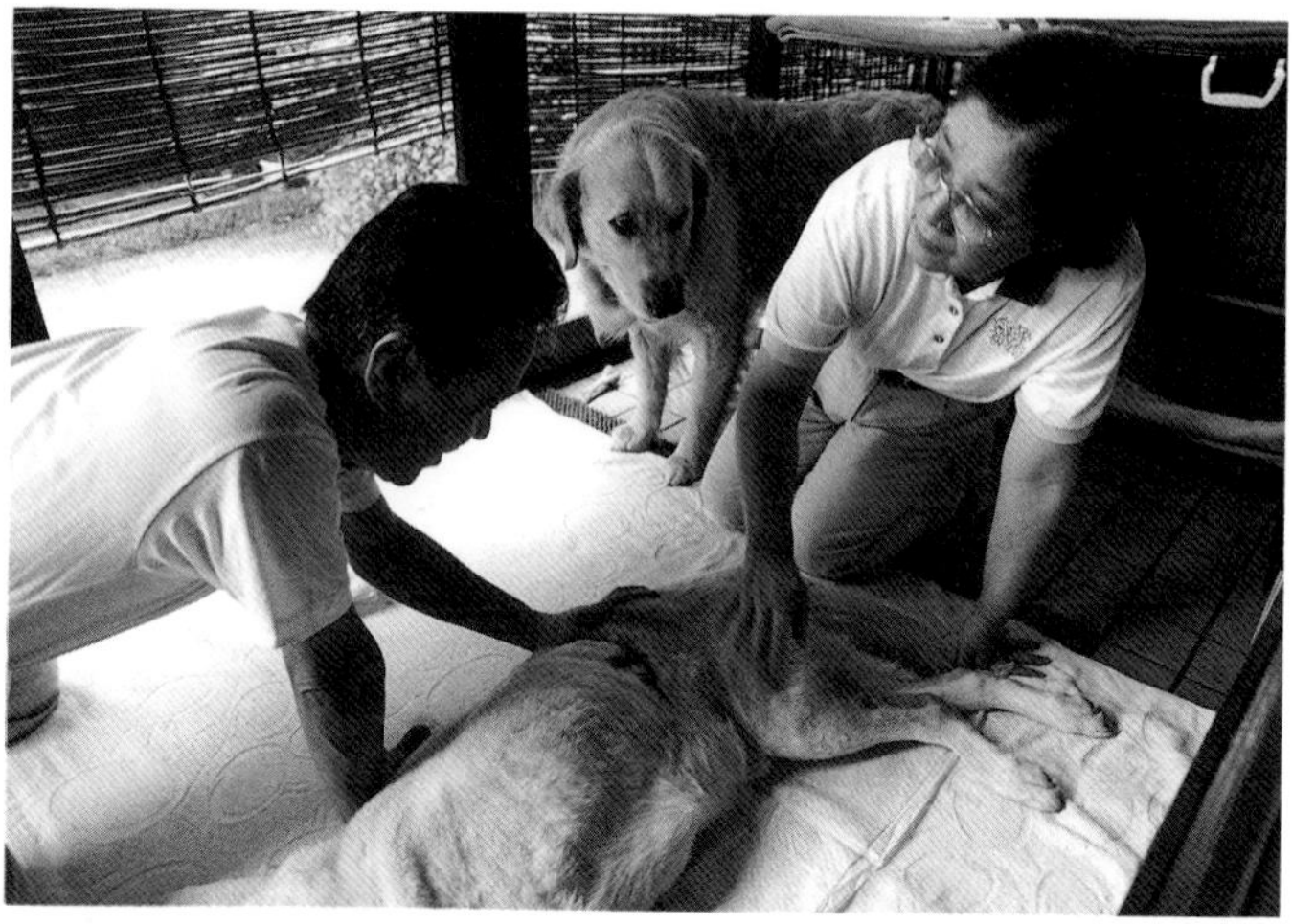

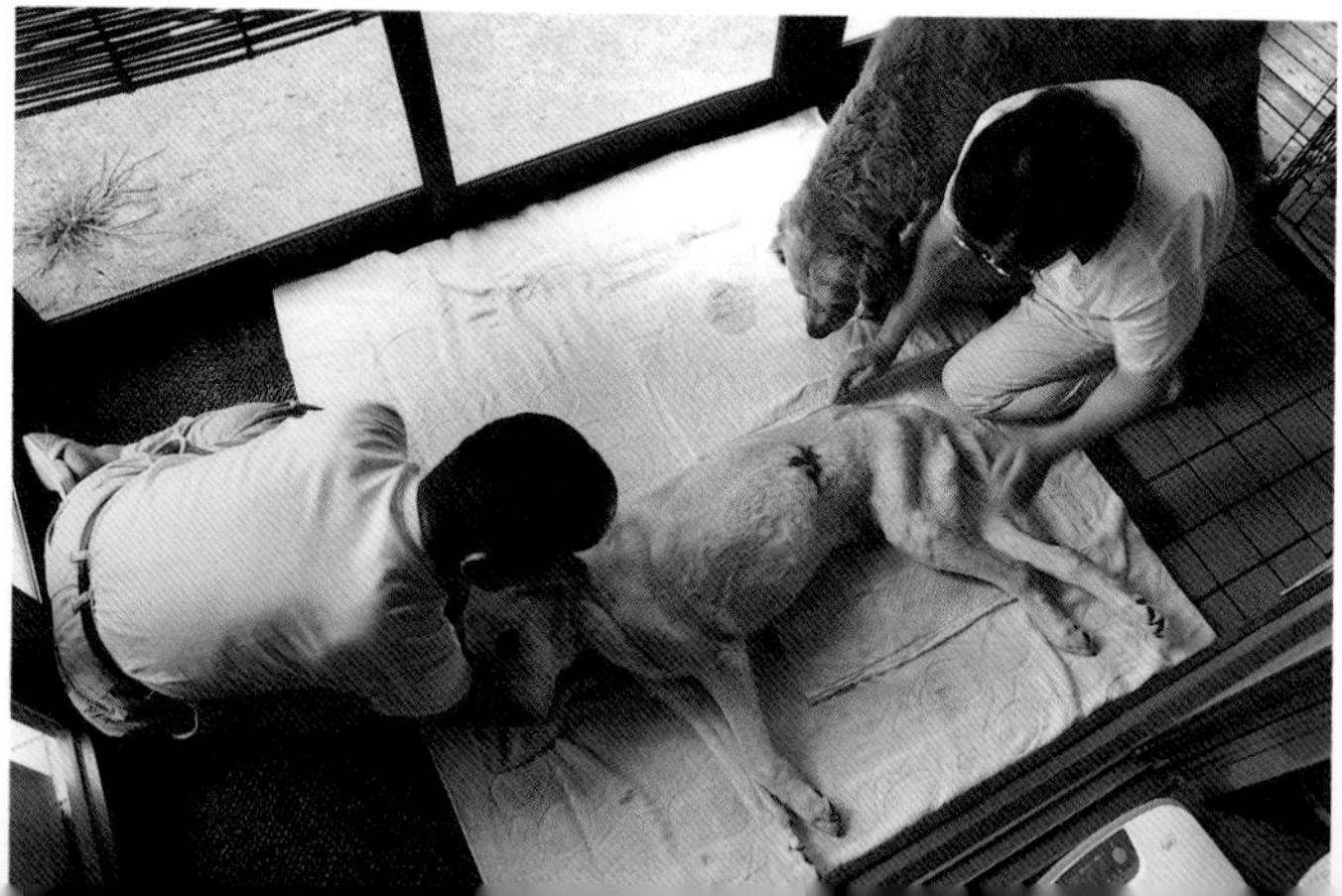

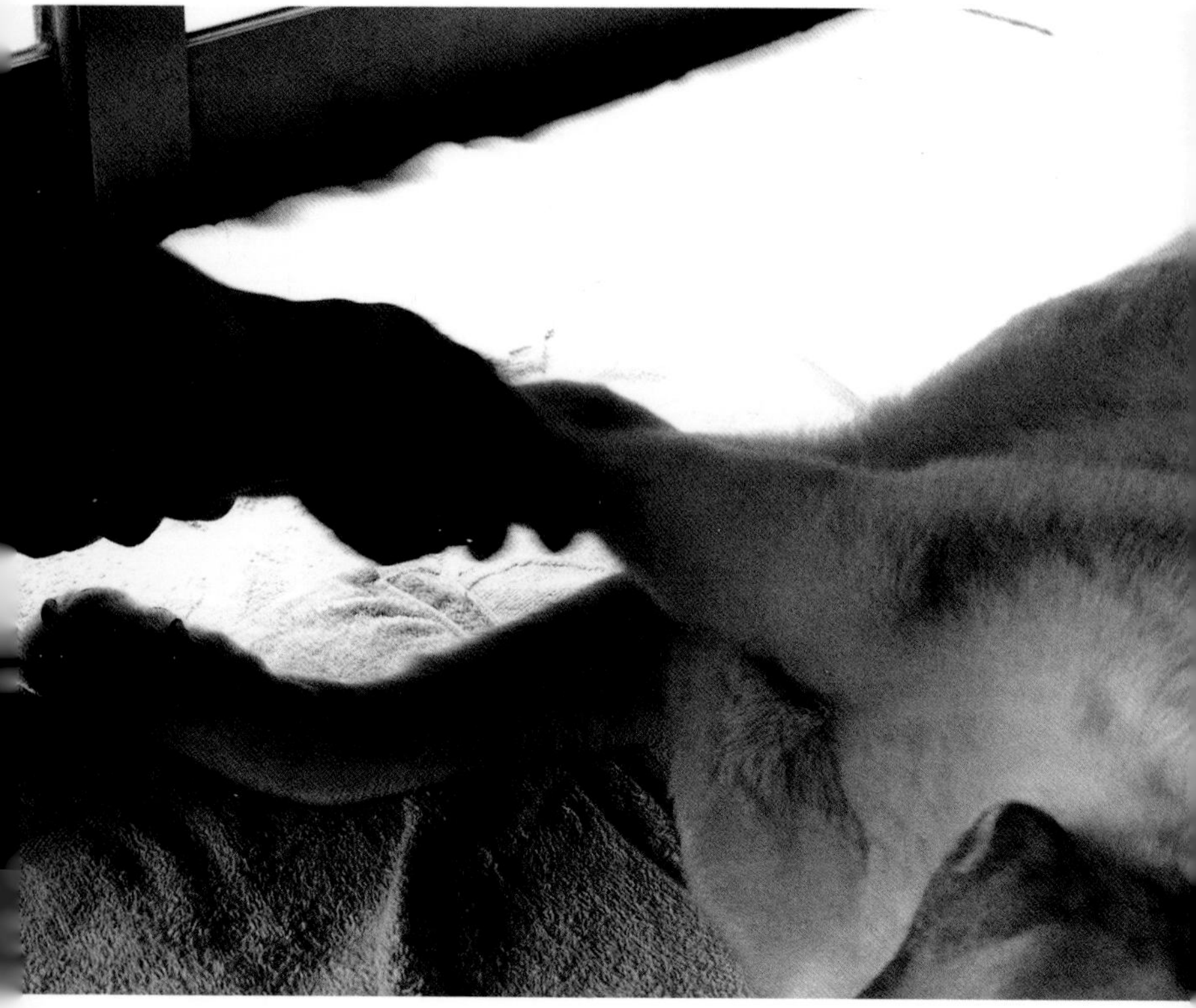

六分。三都子さんがクイールのまぶたをそっと閉じてやった。

享年十二歳と二十五日。「何してるの?」と言いたげに人の顔を覗き込むときのあの穏やかな表情のまま、クイールは静かに息を引き取ったのだった。

その晩、息をしなくなったクイールを真んなかに〝四人〟は最後の夜をいっしょに過ごし、翌日、柩《ひつぎ》に入れたたくさんの花とともにクイールは灰になった。

五匹の兄弟のなかで、盲導犬になるのは自分だと教えるようにカモメのマークをつけて生まれてきたクイール。水戸家で幸せな幼犬時代を過ごし、仁井さんの家でやんちゃ坊主ぶりを発揮した。多和田さんに出会って盲導犬への道を歩みはじめ、短い年月ではあったが、パートナーの渡辺さんに寄り添った。犬嫌いだった渡辺さんに「人間らしい歩き方を思い出させてくれました」とまで言わせたクイール。デモンストレーション犬としての使命を終え、仁井家でファンタと過ごした最後の平和な日々……。

「クーちゃん、さいなら」
「さようなら、クイール」

あとがき

私が子どものころ一緒に遊んだ犬、雑種のジョンは障害を抱えた犬でした。ジステンパーという大病にかかったために、右の後ろ足がまったく動かなくなったのです。その足は常に曲がったまま宙に浮いているのですが、残る三本の足でジョンはいつも元気に走り回っていました。そのけなげな姿から受けた、胸を締めつけられるような思いは、すっかり大人になってしまった今でも、私の心のなかに残っています。

秋元良平さんの写真集『盲導犬になったクイール』(あすなろ書房)に出会ったのは、一九九四年の初めでした。そこに写っている盲導犬と使用者である渡辺さんの姿に、心が揺れました。幼いころからの自分と犬との関わり、記憶のなかの情景が、クイールの姿に重なって見えたのです。盲導犬には「生ませの親、育ての親、しつけの親」がいるとこの本で知ったことも、三人の母親を持つ自分の生い立ちと似ているような気がしたのかもしれません。

それから四年後、九八年の春、秋元さんに初めてお目にかかり、クイールがまだ生きていて、身体が弱ってきたらしいという話を聞きました。生まれたときから追ってきたクイールの姿を、亡くなるまで写しておきたい、盲導犬クイールの一生を何らかのかたちで残したい、という秋元さんの気持ちを聞いて、自分にできることがあれば協力したいと強く思いました。しかし、京都の仁井さんのお宅に会いにいこうと思っていた矢先に、クイールが亡くなったのです。

クイールが亡くなった夏の日の夜、秋元さんから自宅に電話がありました。「クイールが死にました……」。多くを語らないなかに愛する犬を亡くした人の深い悲しみが感じられ、私自身の何回かの犬との死別の記憶が蘇ってきたのです。

私の人生に初めて登場した犬は雑種のメリーでした。メリーは息子ジョンを生んだあと病死。四歳のときに両親が離婚した私は、目の前から急に母親が消えたという事実に対処できなかったのでしょう。この当時の記憶といえば、毎日足の不自由なジョンと遊んでいたことしか覚えていません。やがて、父が再婚し、新しい母ができました。しかし、この母とも二年ほど一緒に暮らしたところで別れがきました。結核で入院し、一度も退院できないまま四年後に亡くなったのです。その間にジョンも病気で死んでしまいました。ジョンのあとにもらってきたチビも、親戚の家に預けていたときに車にはねられ、事故死。幼かった私にとって悲しいできごとが続きました。

その後、父とのふたり暮らしが始まり、毎夕、学校から帰る私を待っていてくれたのは、テリヤの血をひく雑種のロックです。父が帰宅する夜遅くまで、ロックとふたりだけの時間。一緒にごはんを食べ、どんなことでも話しかけ、テレビを観るのも、寝るときも一緒でした。

犬は私にとって親のいない寂しさを癒してくれる最高のパートナーでした。秋元さんの写真を通してクイールに出会ったとき、いままで私が犬から受けてきた大きな恩を、本をつくることで少しでも返すことができれば……と思いました。結局、私は生前のクイールに会わないまま、この本を書くことになりましたが、私とクイールの間には何か運命的な絆があったのかもしれません。

現在、盲導犬育成にかかる多額のお金は、国からの援助金、善意の寄付金でまかなわれています。たとえ少額でもたくさんの人たちの気持ちが集まれば、質の高い盲導犬を育成していけるのです。欧米のように企業から多額の寄付が期待できるといいのですが、日本の現状では、まだまだのようです。また、集まった寄付金の使われ方を公開していく努力も必要でしょう。そして、お金と同じくらい大切なのが、人材です。生ませの親、育ての親などのボランティア、訓練士など、盲導犬の育成に必死に取り組んでいる人たちのことも忘れないようにしたいものです。どんなに優れた訓練士でも、一人が育てることのできる盲導犬の数は限られています。訓練士育成のためのしっかりした基盤をつくっていく努力も大事なことです。

また、盲導犬だけでなく、耳の不自由な人を導く聴導犬、身体的障害をもつ人を助ける介助犬、心を癒してくれるセラピードッグなど、人を助ける「アシスタンスドッグ」全体に対する理解と、育成のための協力がますます必要になってくると思います。

終わりに、この場を借りて、お礼を申し上げたい方がたくさんいます。

秋元良平さん。その写真からクイールの息づかいを伝えてもらいました。亡くなったご主人とクイールの思い出を静かに語ってくださった渡辺祺子さん。盲導犬のことを広く知ってもらえるならと貴重な時間を割いてくださった多和田悟さん。取材中にも犬への熱い思いがひしひしと伝わってきた水戸レンさん、仁井勇さん、美都子夫妻。本当にありがとうございました。

二〇〇一年二月

石黒謙吾

盲導犬について

一九六九年、アメリカからやってきた盲導犬ハッピー（ジャーマン・シェパード）と出会ったことが、私が盲導犬と関わるようになったきっかけでした。当時、高校生であった私に、視覚障碍者（目が見えない、もしくは見えにくいため、生活する上で障害を持つ人）が読み書きするために使う点字を教えてくださっていたのが、塩見牧師という方です。ご自身も目が不自由だった塩見牧師がアメリカまで行って手に入れられた、歩行を手助けするための犬でした。

それが縁となって、私は日本盲導犬協会小金井訓練所に入り、自分で盲導犬を訓練し、目の見えない方々と関わるようになりました。その後、関西盲導犬協会の設立に関わり、またオーストラリアのクィーンズランド盲導犬協会の繁殖と訓練マネージャーとして、訓練所設立から現在にいたるまで多くの犬たちや視覚障碍者の方たちとお付き合いをいただいてきました。

クイールはその中の一頭です。一九八六年六月二五日に生まれ、現在の関西盲導犬協会の総合訓練センターが亀岡にできる前、京都市内の民家を改造した訓練所で最初の訓練を受けました。訓練当初は新しい環境になかなか馴染めず、大変な時を過ごしたようですが、理解が進むに連れ誰にでも扱える落ちついた盲導犬になっていきました。この子は、使用者との出会いによっていよいよ〝盲導犬〟となりました。使用者との生活のなかで、自分自身を〝盲導犬〟として磨いていったように思います。使用者の体調の変化により、腎臓の人工透析のときもベッドの下に控えて付き合ったり、長い時間を使用者と共に事務所で過ごしたりする生活を楽しむことができるようになりました。

日本における盲導犬の仕事は、視覚障碍者が歩行をするうえで安全を確保するために必要な、角、段差、障害物の存在を知らせることです。さまざまな形がある角、段差、障害物を、常に情報として視覚障碍者に提供するためには、その作業をおこなうための動機付けが必要です。「厳しい訓練に耐えて盲導犬は育成される」と言われていた時代に、これら三種類の情報を人に知らせる作業を〝ゲーム〟として犬が楽しんで人に教え、人はこれらの情報をもとに無事目的地に到着するという、私の考える視覚障碍者の歩行の理想を実践し、それが可能であることを証明してくれた盲導犬たちの一頭が彼だったのです。

多和田　悟
Breeding & Training Manager
Guide Dogs for the Blind Association of Queensland

著者略歴
いしぐろ　けんご　1961年金沢市生まれ。エディター&プランナー。書籍編集をベースにしたプランニング・オフィス〈BLUE ORANGE STADIUM〉主宰。著書に『チャート式　試験に出ないニッポンのしくみ』（扶桑社）、『快傑チャート診断室』（デジタルハリウッド出版局）など。
あきもと　りょうへい　1955年生まれ。東京農業大学畜産学科卒。新聞社写真部の契約カメラマンを経て、現在はフリーランス・フォトグラファー。著書に写真集『盲導犬になったクイール』『老人と犬』（共に、あすなろ書房）、『クイールはもうどう犬になった』（こわせ　たまみ・文／ひさかたチャイルド）など。

盲導犬《もうどうけん》クイールの一生《いつしよう》

2001年4月10日　第1刷

定価はカバーに表示してあります

著　者　石黒謙吾《いしぐろけんご》、秋元良平《あきもとりようへい》（写真）
発行者　平尾隆弘
発行所　株式会社文藝春秋
東京都千代田区紀尾井町3-23　〒102-8008
電話　03(3265)1211㈹
印刷所　図書印刷株式会社
製本所　大口製本印刷株式会社

ISBN4-16-357260-0